牛頓吹泡泡

新雅文化事業有限公司

牛頓吹泡泡

一天，一位英國老太太告訴她的朋友，她發現她家的新鄰居——一位老先生，年紀這麼大了，居然還常常玩小孩子的遊戲——吹肥皂泡，真奇怪。

老太太的朋友走到陽台上一看，果真，隔壁那位先生正對着陽光，聚精會神地吹着肥皂泡呢。他一邊仔細觀察着肥皂泡，一邊不停地寫着什麼。

常識小百科
牛頓**吹泡泡**

老太太的朋友再仔細一看，吃驚地對老太太說：「你知道他是誰嗎？他就是大名鼎鼎的牛頓呀！」

牛頓是個大科學家，可是他為何喜歡玩吹肥皂泡這種小孩子的玩意呢？原來，他是為了研究太陽光的祕密。牛頓就是通過觀察肥皂泡，發現了光的干涉現象和著名的牛頓環。

水和生命

自然界中的一切生物，像大大小小的動物，各種各樣的植物，還有我們人類，都離不開水。水是組成人體的重要物質。一個體重50千克的人，大約有35千克都是水。

平時，人渴了就要喝水，如果長時間不喝水，生命就有危險。古代的軍隊穿過沙漠去打仗時，必須帶上很多水

袋，否則他們就會渴死。1963年5月，一個美國太空人在太空中飛行了34個小時，因為沒有水喝，結果體重一下減輕了3千克。

　　人發燒時應該多喝開水，這樣能加快排洩身體裏的廢物，使病好得快些。平時人們喝水要講衞生，要養成良好的喝水習慣，千萬不要喝生水和不潔淨的水。

盲文的發明

你看到過盲人讀的書嗎？那是一種沒有油墨印刷文字和圖畫的書，書上全是一些密密麻麻凸出來的圓點，這就是盲文書。

盲文是法國一個名叫布萊葉的盲人發明的。布萊葉十幾歲時想出一個辦法，在紙上戳出六個排列不同的小孔，分別代表不同的字母，盲人只要用手一

摸，就能知道是什麼意思了。但是盲人除了讀書，還得寫字呀，布萊葉又創造出一種模板。盲人寫字時，把模板壓在紙上，用尖筆插進小孔戳出不同的點子，這樣盲人就能用「點子盲文」，寫出自己要說的話了。

盲文的出現，使千千萬萬盲人也能接受教育。從此，盲人的世界充滿了光明。

教你辨別方向

要是你一個人在野外迷了路，身上又沒帶指南針，這時，千萬別着急，生活裏有許多東西都會給你指方向。

先看太陽，如果是早上，人面向太陽，那麼你前面是東，後面是西，右面是南，左面是北。如果是下午或傍晚，你只要背向太陽，那麼東南西北四個方向的判斷和上午是一樣的。

常識小百科
牛頓**吹泡泡**

　　如果在鄉村，你可以根據農民房屋的朝向來判斷方向。一般農家房屋的大門和陽台都是朝南的。

　　有時，一棵大樹也能為你定方向。樹枝和葉子長得茂密一些的朝南，長得稀疏一些的朝北。同樣道理，如果看到果樹，結果實多的一面多數是朝南。最有趣的是，如果看到有螞蟻洞，那麼洞口一定是朝南的。

磁鐵的故事

小朋友，你玩過小磁鐵嗎？磁鐵又叫吸鐵石，小小的磁鐵只要靠近鐵器，一下子就會將鐵器吸住，真好玩。可是你知道磁鐵是誰最早發現和利用的嗎？

傳說在4000多年前，咱們中國人的祖先黃帝就用磁鐵造出了一種指南車。指南車能夠指南，這種車在大霧天特別有用，它可以清楚地指引方向。黃

帝在指南車的指引下,經常打勝仗。

　　秦始皇也利用過磁鐵。當年建造阿房宮時,秦始皇下令用磁石砌起一扇大門。當身藏武器的刺客經過大門時,身上的鐵製武器就會被磁石吸住,刺客的身分馬上就暴露了。這是歷史上最早利用磁鐵設計出來的「機關」。

古代的鐘

古代人沒有鐘,他們是怎樣知道時間的呢?最早人們靠觀察太陽來計算時間,在地上立一根竹竿,看竹竿的影子斜向何方,就能大致判斷是什麼時間了,這就叫「立竿見影」。也有人點上一支香來確定時間的長短,因為香燒完的時間是差不多的,因此利用燒香也能大致知道時間有多長。

　　後來人們又發明了一種水鐘，就是讓水從上面容器的小孔裏，慢慢滴漏到下面的容器裏，下面的容器標上刻度，這樣就能較準確地了解時間了，水鐘也稱作「滴漏」。還有一種和水鐘原理相似的沙鐘，即「沙漏」，就是讓細沙子慢慢通過容器的細頸漏到下面的器皿中，這種方法也能用來計時。

空氣也有重量

1909年，世界上剛剛發明飛機。一天，一位飛行員駕駛着飛機飛到英國的一個小鎮，一下子吸引了很多人來觀看這位飛上天的勇士。有位商人想弄些飛行員用過的東西，以便日後高價出售發一筆財。可是當他趕到時，飛行員已離去。商人靈機一動，向旅館老闆提出，他要買下飛行員住過的房間裏的空氣。

老闆問：「空氣怎麼賣呢？」商人

想，反正空氣沒有重量，就隨口說：
「按重量算，1千克給你10英鎊。」於
是他倆談妥了這筆買賣。

　　一位科學家知道了這件事，他對商
人說：「空氣是有重量的，每立方米空
氣重1.293千克。我算了一下，飛行員
住的房間是75立方米，也就是大約有
97千克空氣，現在，你得付給老闆970
英鎊。」

　　商人聽了，目瞪口呆，懊
悔極了。

利用**風力**

風從哪裏來？風是太陽製造出來的。太陽把地面曬得熱乎乎的，空氣受熱上升，這時冷空氣流過來補充，空氣流動起來就形成了風。

人類最早利用風來揚穀，後來又發明了風車，用來抽水灌溉農田……這都是古代人們利用風力來做事。古時候，人們出海要坐帆船，帆船就是利用風力

來揚帆行舟的。據說最大的帆船上有三十多張帆,可以推動帆船漂洋過海。

　　地處北歐的荷蘭被稱為「風車之國」,那裏到處可見到風車,人們用風車來發電,有了電,就可以辦許許多多的事。

　　風是一種沒有污染的「清潔能源」。現在,世界各國的科學家正在研究設計各種現代風車,大力開發風力資源,為人類服務。

輪子的作用

人們最初知道利用輪子，是從實踐中受到啟發：在大石塊下墊上圓木，拉起來就省力多了。不過一面拉一面墊太麻煩，有人就想出在圓木片中心裝根軸，固定在重物下，這樣就更方便了。帶軸的圓木片就是最早的車輪。我國古代戰車的車輪是木輪，輪子的邊上釘有鐵箍，車輪就牢固耐磨多了。

常識小百科
牛頓吹泡泡

　　最早的自行車上，裝的就是木輪，不過這種自行車騎的時候震動得很厲害。後來，有人把充了氣的橡膠管綁在輪子上，這樣騎起來又快又省力，舒服多了，這種車輪和現在的自行車輪胎原理是一樣的。

　　火車上用的輪子是鋼做的，它堅固耐磨，但只能在鐵軌上才能行駛。飛機的起落架上也裝有輪子，是供起飛和降落時滑行用的。

聽不見的聲音

你聽說過超聲嗎？科學家告訴我們，每秒鐘振動超過 2 萬次的聲音就叫超聲。我們人的耳朵聽不見這種聲音。

可是自然界中有些動物能聽到超聲。有人做過試驗，證明狗能聽見每秒振動 3.8 萬次的聲音。老鼠的視力很差，但牠的耳朵很靈，能聽見每秒振動 10 萬次的超聲。蝙蝠看東西不靠眼睛，

牠有一種特殊的本領：嘴裏發出一束束超聲波，超聲波遇到障礙物又會反射回來，蝙蝠依靠接收這些反射回來的聲波，發現和識別目標。印度有一種盲海豚，在水下能發出超聲波，敏捷地捕捉各種海洋動物。自然界中還有許多動物，像飛蛾、蟋蟀、蜜蜂等，也都具有發出超聲波和接收超聲波的本領。

超聲用處大

在現代生活中，超聲波是很有前途的一項新技術。人們根據超聲波的特點設計製造出各種儀器來為我們服務。

超聲波在水中遇到障礙物會按原方向反射回來，利用這一點，人們設計出一種超聲測距儀，可以很容易測得海洋的深度或者海底是否有沈船。

醫生也常常請超聲波來幫忙，用超

聲波儀器觀察病人身體內部的一些情況，如果超聲波反射的信號與正常人不一樣，那麼很可能內臟有問題。超聲波已成為醫生診斷疾病的好幫手。另外，現代超聲波技術已應用到金屬冶煉工藝中，人們只要用超聲波對煉好的金屬進行內部「偵察」，就知道金屬是否達到質量標準了。

巧妙的平衡

我國福建有個東山島，島上有一塊高3米、重約40噸的桃形岩石，人們稱它為「風動石」。這塊石頭與下面岩石的接觸面很小，海風吹過，搖搖晃晃的，前來觀看的人都為它捏把汗。然而，多少年過去了，這塊風動石始終沒有倒下。

原來，風動石是上小下大，重心很低，好比是一個很重的不倒翁，

總也不會倒。

體操運動員在做平衡木動作時，常依賴左右手臂的擺動來保持身體的平衡。

高腳酒杯的底座呈圓形，這樣既美觀，又能使酒杯保持平穩。

大吊車的吊桿雖然伸得很長，但由於在吊桿的後下方安放了幾十噸重的重物，使大吊車的重心降低，穩定性大大增加。

可怕的噪音

30年前，一架大型飛機由於故障，被迫緊急降落在一個小城鎮郊外。當飛機俯衝下來，掠過小鎮時，那震耳欲聾的呼嘯聲頓時使數十名居民失去了知覺，其中，有6名老人再也沒有醒過來。

誰是這場慘禍的兇手呢？原來，兇手就是飛機上發出的噪音。人們在日常生活中，聽到的那些令人討厭的聲音都

是噪音。像工廠裏的機器聲、建築工地上的汽錘聲、馬路上汽車的高音喇叭聲，都是噪音，它們時時刻刻在影響着人們的生活。

表示聲音大小的單位叫分貝。當噪音超過80分貝時，人就覺得心情煩躁；當噪音超過145分貝時，人就無法忍受了；如果超過180分貝，堅固的金屬也會受到破壞。

鏡子的故事

沒有發明鏡子之前，人們要知道自己的樣貌，只能跑到水池邊，或拿一盆水來照一照。以後人們發現青銅器磨光後，很光亮，可以照出人的面容，於是發明了青銅鏡。可是青銅鏡用久了容易生鏽發暗，常常要研磨才能恢復光亮。

後來，人們學會了製造玻璃。玻璃雖然可以照見人影，但不清晰。人們在

玻璃背面黏上一塊光亮的銀板，這樣照出的人像就清楚了。可是這種鏡子在當時價格十分昂貴，一般老百姓是用不起的。

隨着科學技術的發展，人們用化學鍍銀代替以往的銀板。玻璃鍍上一層銀後，再刷上一層漆膜，就成了一面價廉物美的鏡子。

地下的「聖火」

在我國四川有一種火井，人們把長長的竹筒伸到井底，引出氣體來燃燒。古時候，人們不知道地下為什麼會冒出火來，就把它稱為「聖火」，並且用「聖火」來煮鹽、冶煉金屬。

其實，所謂的聖火就是天然氣，是一種含有大量甲烷氣體的碳氫化合物。甲烷容易燃燒，1 克甲烷燃燒可放出

13.3千卡的熱量，相當於等量木材的3倍。比煤炭燃燒放出的熱量還要多，所以甲烷是一種優良的氣體燃料。

甲烷還是一種重要的化工原料。甲烷可以用來生產炭黑、合成塑料、製造人造纖維和氮肥。在現代化學工業中，甲烷的用途將越來越廣泛。

指紋的奧祕

人們在電影、小說中，常常可以看到利用指紋來破案的情節。指紋是怎樣幫助我們找到罪犯的呢？

原來，每個人的手指上總黏有油脂、礦物和汗水。當手指按在一樣東西上的時候，指紋上的油脂等就會留在東西的表面，只不過人眼看不出來。破案人員用一種特殊的紙，將指紋取下來，然後將藏有指紋的紙，放到一個

盛有碘酒的試管口上。由於碘酒被加熱
會蒸發，其中的酒精先跑掉，剩下的碘
才開始升華。升華就是固體物質直接變
成氣體的過程。碘酒中的碘升華變成紫
紅色的碘蒸氣，碘蒸氣很容易溶解在有
機物質裏，而指印中的油脂、礦物和汗
水都是有機物質，所以碘蒸氣上升到試
管口，就會溶解在這些有機物質裏，於
是紙上就顯示一個十分明顯的棕色指
紋。

酒釀為什麼會變甜

大米是人們的主要糧食，大米的主要成分是澱粉。人們把大米煮成米飯，趁溫熱時和上酒藥，加蓋保溫一到兩天後，米飯就變成了又甜又醇的酒釀。

米飯是怎麼變成酒釀的，酒釀中的甜味又是從哪裏來的呢？我們平時嚼米飯都有這樣的感覺，米飯多嚼一會兒，會覺得甜滋滋的，這是因為人的唾液中

含有澱粉酶，它使米飯中的澱粉轉化成了麥芽糖。

在做酒釀時，酒藥中的澱粉酶先使米飯中的澱粉轉化成有甜味的麥芽糖。然後，由於酒藥中同時含有麥芽糖轉化酶，它能進一步使一部分麥芽糖轉成葡萄糖，另一部分麥芽糖發酵成為酒精。於是，原來淡而無味的米飯就變成香甜甘醇的酒釀了。

淹不死人的「死海」

公元 70 年,古羅馬軍隊在一次戰爭中,俘虜了大批戰俘。古羅馬統帥下令將戰俘們一個個綑綁起來,全部投入海中。奇怪的是,這些戰俘被投入海水後,一個個都浮了起來,誰也沒有淹死。古羅馬人大吃一驚,以為一定是上帝保護了這些戰俘,於是將這些戰俘全部釋放。

　　這裏的海水為什麼淹不死人呢？原來，這是一個面積約有1000平方千米的大鹹水湖。它位於現今的約旦和巴勒斯坦之間，海水含鹽量特別大：100克水中，竟會有25克鹽。大量的鹽分使海水的浮力大大增加，人跳入海中，可以浮而不沉。這個海含鹽多，蒸發強烈，水生植物及魚類都難以生存，甚至沿岸也寸草不生，因此人們稱它為「死海」。

輪船上的大鼻子

有一次，一艘貨輪在海上遇到了風浪，輪船失去控制。一個惡浪撲來，船撞到了一座礁石上，「轟隆」一聲巨響，尖尖的船頭癟了下去，船頭兩側像蛤蟆腮幫似的鼓了起來。幸運的是，這艘船居然沒有漏水，發動機仍在運轉，貨輪繼續向前駛去。出人意料的是船速卻比以前更快了，結果還比預定時間提

早抵達目的地。

這是怎麼回事？船員們就去請教造船專家。專家們經過分析研究，終於弄明白了其中的原因。原來貨輪受傷後，船首的凸出部分在前進時會產生一種波浪，這種波浪正好能抵消掉一部分海水對船頭產生的阻力，由於阻力減小，船速就提高了。從此大輪船上都裝上了一個大鼻子。

玻璃杯為什麼碎了

在美國，有位女演員能用歌聲震碎她面前的玻璃杯。是不是她的歌聲特別響亮？那倒不是。歌聲再響，也震不碎一隻杯子。真正的原因是：她歌聲中的某個音調引起了玻璃杯的共振，最後震碎了玻璃杯。

共振是怎麼回事？我們在公園裏蕩秋千，秋千每秒鐘來回擺動的次數叫振

常識小百科
牛頓**吹泡泡**

動頻率。如果你去推秋千，按照這個頻率去推，秋千就會越蕩越高。這時推力的頻率和振動的頻率相同，振動就不斷加強，出現了共振。

在生活中很容易找到共振的現象。如住在臨街的人，往往會聽到窗玻璃震得格格直響。這是因為車輛經過所發出的聲音頻率和窗玻璃振動的頻率正好相同，於是窗玻璃就產生了共振。

利用太陽能

冬天，為了取暖，人們喜歡坐在朝陽的地方曬太陽。平時，人們在太陽下曬衣服、穀物，也是利用太陽熱力的一種方法。科學家發現，當太陽光被聚焦到一點時，這一點的溫度會變得很高。於是人們發明了太陽灶，用它來聚焦陽光，利用太陽熱力來燒飯，供應熱水。

太陽熱力其實是一種能量，人們把

它稱作太陽能。現在，人們已經成功地
開發出許多使用太陽能的裝置。如國外
有一種房屋，它的窗戶能在冬天把陽光
轉換成熱量，提高室內溫度。有的國家
生產出一些能利用太陽能作動力的小型
汽車，既方便又沒有污染，很受歡迎。
太陽能還可以幫助人們建造大型發電
站，它的用途將越來越廣泛。

溫度計身世

世界上最早的溫度計是意大利科學家伽利略發明的。不過這種溫度計很不精確，到了冬天，溫度計內的液體結成了冰就無法測量溫度了。

後來，荷蘭科學家攝爾西斯發明了一種既簡單又精確，同時又不怕寒冷的溫度計。他選用水銀或酒精灌入玻璃管內，抽掉空氣後密封起來，並在冰點和

沸點之間劃分100等分，從而使人們測量溫度有了一個統一的標準。這個標準就是現在人們常用的攝氏溫標。

　　現代溫度計的種類很多。酒精溫度計一般用來測量氣溫、水溫；水銀溫度計一般用來測量體溫；還有一種叫熱電偶的溫度計，是專門用來測量高達幾百度攝氏以上的溫度的。

誰發明了顯微鏡

300多年前，荷蘭有一個名叫列文虎克的看門人，他聽説用放大鏡可以把看不清楚的微細東西放大，就決定自己來磨制放大鏡的鏡片。磨制鏡片很辛苦，還需要有耐心。列文虎克意志堅定，不停地磨呀磨，終於磨製出幾片小小的玻璃透鏡。他把一塊透鏡鑲在一個木架上，下面裝上一塊銅板，上面鑽了一個

小孔，讓光線射進來。嗨，真奇妙，透過鏡片看下面的東西，微小的東西全放大了！

這就是列文虎克製作的世界上最早的顯微鏡。它雖然很粗糙，但它放大東西的本領卻很強。列文虎克通過顯微鏡，看到了許許多多單靠人眼看不到的東西，其中也有細菌。列文虎克不僅發明了顯微鏡，而且還是世界上第一個發現細菌的人。

鋼筆的來歷

鋼筆的前身是蘸水筆，就是用動物羽毛管做成的筆，蘸了墨水來書寫。1884年，美國有一個名叫華特曼的經紀人，在談生意時使用了一支漏水的羽毛筆，結果不僅弄髒了合同，還丟失了一筆大生意。從此華特曼下決心要設計出一種能控制墨水的筆。經過一系列的試驗，華特曼設計製造了一種自來水筆，這種

筆的使用原理同我們現在用的鋼筆結構和原理基本上都相同。它主要由筆尖、筆舌、吸水管、儲水管和筆桿等組成。吸墨水時，只要手捏儲水皮管，把裏面的空氣趕走，手放鬆時，由於外面的大氣壓力大於儲水管裏的空氣壓力，大氣壓力就把墨水壓進了儲水管。

　　華特曼的發明使人們從此擺脫了蘸水筆，書寫變得更方便了。

食鹽的用途

食鹽在人們生活中的用途可大啦！每天燒菜煮湯總要加點鹽。平時，人們在鮮肉、鮮魚上抹點鹽，醃製起來，不僅可以增加食品的鮮美，而且能防止食物腐爛、延長保存期。

炎熱的夏天，人們出汗多，身體鹽分減少。這時喝一些含食鹽的清涼飲料，可以補充鹽分，防止中暑。每天早

晨起牀後，用淡淡的鹽開水漱口，可以使你的喉嚨更加清潔、涼爽。在醫院裏，食鹽水常常用來為病人擦洗傷口，因為食鹽水具有消毒殺菌作用。另外生理食鹽水還能用來給病人輸液，補充營養。

食鹽的化學名稱叫氯化鈉，是重要的化工原料。人們平時用的肥皂、紙張、化肥、農藥和其他許許多多輕工產品，都離不開氯化鈉。

奇妙的自燃

一艘從新加坡開往中國的貨輪，裝載了1萬多噸魚粉，經過8天的航行，到達東北的大連港。當裝卸工人打開貨輪的艙蓋時，艙內的大批魚粉忽然奇怪地燃燒起來。人們奮力撲救，才把貨艙內的火燄撲滅。

是什麼原因使魚粉自己燃燒了起來？經過分析，原來是魚粉長時間悶在貨艙內，內部積聚的熱量散發不

出去，造成魚粉的溫度越來越高。當打
開艙蓋時，魚粉一下子接觸到大量空
氣，所以就燃燒起來。

　　這種由於物質自身溫度升高引起的
燃燒叫做自燃。生活中許多物質都可能
引起自燃，如大型的棉花倉庫和糧食倉
庫，如果貨物堆得過緊，室內空氣不流
通，也常常會引起自燃，造成財產損
失。所以人們要經常測定貨物溫度，避
免溫度上升引起自燃。

「白衣黑裙」的妙用

1948年，一個名叫勒夫卡的法國人乘坐一個氫氣球，從愛爾蘭首都起飛，準備進行飛越大西洋的試驗。可是，高空中晝夜氣溫相差很大，氣球熱脹冷縮，難以保持穩定的高度，結果勒夫卡不幸墜入了大西洋身亡。

為了克服氣球的熱脹冷縮，1978年，科學家為一隻巨型載人氣球設計了

這樣的「外套」：上半身為銀白色，下半身為黑色。這個氣球上天後，白天雖然烈日當空，但由於銀白色「上衣」的強烈反射作用，氣球並不會受熱膨脹；晚上氣溫急劇下降，氣球依靠下半身的黑色仍能從海洋中吸收熱量，從而保持一定的飛行高度。結果氣球穩穩地飛過了大西洋，人們紛紛稱讚這是「白衣黑裙」的功勞。

「神火」燒戰船

公元 213 年，羅馬人的艦隊逼近西西里島，想一舉攻下敘拉古城堡。著名的科學家阿基米德參加了保衞家鄉敘拉古城的戰鬥。

火辣辣的太陽下，敵人的艦隊越來越近了。阿基米德想出一個法子，他帶領士兵用黃銅磨製了幾十面閃閃發亮的銅鏡子。當戰鬥進行到最緊張的時刻，

　　阿基米德讓幾十個士兵站在選好的位置上，人人手持一面亮閃閃的銅鏡，把太陽光聚集到羅馬戰艦的帆上。

　　不一會兒，帆上紛紛冒出青煙，海風一吹，「呼」地起了火，羅馬人見艦船着了火，驚恐萬狀，紛紛跳海逃生。

　　這一仗，羅馬艦隊幾乎全軍覆滅，阿基米德的「神火」為保衞祖國立下了赫赫戰功。

地球的數字

地球是太陽系九大行星之一，年齡已有 45 億歲了。

地球的赤道半徑是 6400 千米，周長為 40076 千米。超音速飛機繞地球飛一圈，需要 20 小時。

地球的面積約為 51100 萬平方千米，相當於 50 多個中國的面積。地球的體積約為 10832 億立方千米。

地球是含水最多的一顆行星，海洋

面積佔了地球總表面積的百分之七十一，而陸地只佔百分之二十九。

地球是個實心球，從地表到地心分三層，即地殼、地幔和地核。其中地殼約厚 15 千米，地幔約厚 2900 千米，地核約厚 3430 千米。

地球上最高的地方是我國西藏的珠穆朗瑪峯，高達 8848 米，地球上最深的地方是太平洋中的馬里亞納海溝，深達 11034 米。

鴿子為什麼不會迷路

鴿子有着驚人的定向飛行能力，也就是說，鴿子認識回家的路。1935年，有一隻鴿子從越南的西貢出發，整整飛行了八天八夜，繞過半個地球，風塵僕僕地飛回了自己的老巢——法國里昂，全程達11265千米。

鴿子為什麼能認識回家的路呢？科學家認為，鴿子不光依靠太陽指路，它還能根據地球磁場來確定自己的飛

行方向。科學家曾給鴿子戴上特製的墨鏡，使它看不到太陽，也看不到地面上的物體。可是放飛後的鴿子仍然自己飛回了鴿巢。

1978年，科學家在鴿子的頭部發現了含有豐富磁性物質的組織。人們認為這很可能就是鴿子的「磁場檢測器」。目前，這方面的研究還在進行，關於鴿子認路的祕密，總有一天會揭開。

沒有摩擦行不行

生活中的摩擦常常給我們帶來麻煩，舉個例子說，當你騎着自行車經過一段地上鋪滿碎石子的道路時，你會感到很吃力，這是因為地面和自行車輪胎之間的摩擦力妨礙了你前進的速度。

但是，生活中也不能沒有摩擦。離開了摩擦，你會感到處處不方便。現在假設你在一個沒有摩擦的世界裏。早晨

醒來，你發現被子落在地上，你剛想拾起來，可是被子卻從你手裏滑走了。你抬頭一看，屋子裏的東西全靠攏在一個角落，因為沒有摩擦，它們在原地都待不住。你想下牀，腳一下地便跌倒了，因為沒有摩擦，根本無法走路。你想穿衣，衣服卻滑落了；你想穿鞋，鞋帶繫不住；你想吃早餐，可是無法握住碗和筷子……可見，人類離不開摩擦。

身邊的慣性

你知道什麼叫慣性嗎？慣性是物體的一種屬性，在日常生活中，我們經常與它打交道。

你坐在公共汽車上，車子剛一啟動，你就會往後一仰，當車子緊急剎車時，你又會情不自禁地向前一衝，這都是汽車的慣性在和你「開玩笑」。

平時家裏的錘子鬆了，爸爸就把錘

常識小百科
牛頓**吹泡泡**

柄的一端在地上猛撞幾下，錘頭就乖乖地吃緊錘柄了。還有，當煉鋼工人用鐵鍬把煤炭送進爐膛時，他舉起鍬，用力連鍬帶煤一起猛地向爐膛甩去，就在鐵鍬接近爐膛時，他突然將鐵鍬停止，這時，鍬上的煤卻依然向前衝，結果，煤進了爐膛，鍬依然留在了煉鋼工人的手中。這些都是人們利用慣性為人類服務的例子。

地球的中心在哪裏

南美洲的厄瓜多爾地處赤道附近，氣候十分炎熱。然而，吸引無數遊客來這裏參觀和旅遊，也正是這個國家奇特的地理位置。

厄瓜多爾首都基多北面的高原上，聳立着一座高高的紀念碑。這就是地球赤道紀念碑，表示這兒正是赤道的位置。

常識小百科
牛頓吹泡泡

在紀念碑的頂上，放置了一個石雕的地球儀，它的北極朝北，南極向南，中部從東到西，刻有一條很明顯的白線，這條白線就是「赤道線」。紀念碑上刻着：「這裏是地球的中心」。

每年，這座赤道紀念碑都要接待無數來自世界各地的人們。他們欣喜地站立在碑前攝影留念。許多人都喜歡在照片的背後寫上：我的左腳踏在北半球上，而右腳卻踩在南半球上。

運動記憶

一般人都有這樣的感覺，一旦學會了游泳或騎自行車，幾年甚至更長時間不接觸這些活動，也不會忘記。可是，如果記住一個公式或外語單詞，時間久了，就會忘記。這是什麼原因呢？

科學家告訴我們，人們通過眼睛觀看後記住的東西，是大腦對視覺符號的記憶，叫「視覺符號記憶」；通過運動

而記住的東西，是小腦對肌肉運動的記憶，叫「運動記憶」。視覺符號記憶遺忘較快，但運動記憶卻可以維持很長時間，甚至終身不忘。

懂得了這個道理，我們平時在記憶公式、定理或外語單詞時，除了用眼睛看，還要口念、手寫，通過重覆多次的訓練，不僅能形成視覺符號記憶，還能產生小腦的運動記憶，這樣，記憶效果就更好了。

可以吃的石頭

你聽說過可以吃的石頭嗎？其實這在生活中並不稀奇。在醫院裏，醫生常給一些胃部需要拍攝X光片的病人吃一杯「鋇餐」。這「鋇餐」就是硫酸鋇，它還有一個名稱叫「重晶石」。病人吃了白色的硫酸鋇後，硫酸鋇進入腸胃，它能有效地阻擋X射線通過，這樣，腸胃中的硫酸鋇就為腸胃的形狀、各部位的情

況造了「影」，醫生根據 X 光片，就可以作出對病人腸胃疾病的診斷了。

生活中可以吃的石頭其實並不少。我國的傳統醫學中有很多藥物都有礦石成分。如石膏具有清熱消炎療效，磁石可作鎮靜安神藥，麥飯石有助消化、清腸胃的功效等等，這些可以吃的石頭的奇特作用都早已為人們所熟知。

動物也能預報地震

地震給人類造成巨大的災難，為了能預報地震，科學家作了許多研究。

　　1974年5月的一天，我國湖南東部的一個小鎮上，人們驚訝地發現，許多老鼠紛紛從地下鑽出來，爬上桌子。跳躍不止。一個小時後，當地就發生了一場地震。事後人們回憶起老鼠的異常行為，覺得這一定和地震有關。

常識小百科
牛頓*吹泡泡*

　　有一次，日本九州一個動物園中，有一頭獅子整夜不肯睡覺，在籠子裏竄來竄去，瘋狂折騰。結果，第二天，附近海面上發生了一場6～7級大地震。由此可見，動物的異常行為往往可能是地震即將發生的預兆。據説，美國和日本已在本國的地震多發地區，設立了許多動物觀測站，隨時觀察動物的表現。

植物尋礦

我國長江沿岸有一種草，名叫「海洲香薷」，它的花是藍色的。早在50年代，人們就發現，在這種草長得特別茂盛的地方，地下就很有可能找到銅礦，人們把這種草叫做「銅草」。後來，經過地質學家的研究，證明了銅草的藍色，就是銅礦給染上的。原來，當銅草的根深入到含銅礦的地層後，會吸收銅

離子，因為銅的化合物是藍色的，所以銅草開的花也變藍了。

　　小小的野草能揭示地下寶藏的祕密，人們發現，有些植物在形態上發生變化，往往也「指示」人們地下可能有礦。例如，人們發現，地下的鎳礦能使地上的花瓣失去光澤，錳礦能使有的花變得更加鮮艷……這些植物的變化經常幫助人們在野外尋找到有用的礦藏。

老鼠為什麼特別興奮

200 多年前，英國有一位化學家，名叫普利斯特列。他對研究氣體特別有興趣。一天，普利斯特列收集到一種氣體，如果把燃燒着的蠟燭放在這種氣體中，蠟燭的火燄就燃燒得特別明亮。這個現象引起了普利斯特列的很大興趣。接着他又把兩隻小老鼠放在這種氣體中。奇怪的是，這兩隻小老鼠又跳又

蹦，顯示出十分興奮和舒適。普利斯特列禁不住自己也深深吸了一口這種氣體，頓時覺得十分舒暢，這種感覺就像清晨在新鮮空氣中散步一樣。

其實，普利斯特列發現的這種氣體就是我們今天常說的氧氣。當時誰也不知道自然界中存在着氧氣這一物質，直到幾十年後，人們才真正認識了氧氣的性質和它的重要意義。

小草和鋸子

魯班是中國古代的偉大建築師。

在很久以前，木匠還沒有鋸子這種工具，劈大木頭只能依靠斧頭，既累人，速度又慢。

有一天，魯班上山砍樹，雙手拉草時，不當心被劃破，還流出血來。善於思考的魯班感到奇怪，為什麼小小的野草有這麼大威力？於是他摘下葉子，用手輕輕一摸，發現葉子邊緣有許多鋒利的小齒。

這時，一個想法在魯班腦海中閃現，他樹也不砍了，趕緊跑回家，用鐵片模仿野草葉片邊緣的形狀，打出一排小鐵齒，這就是最早的鋸子。用這種鋸子鋸木，既省力，鎅口又平整，大受人們歡迎。於是，人們紛紛仿造。這種鋸子至今還被廣泛使用。在這兒值得一提的是，啟發魯班發明鋸子的「老師」，不是特別聰明的人，而是自然界中的一棵無名小草。

雪櫃能殺菌嗎

在夏天，餐桌上的飯菜只要放一天，就會發酸變味，不能吃了。但如果把飯菜放到雪櫃內，就不會出現這樣的麻煩。為什麼會這樣呢？

回答這個問題之前，先要了解食物變質的原因。誰都知道，在我們周圍有很多細菌，這些細菌只要一落到飯菜中，就開始大量繁殖，而且周圍的溫度越高，繁殖速度就越快，特別在夏

季高溫季節，最適合細菌繁殖。當飯菜
中的細菌數量多到一定程度時，它就變
質了。

　如果把飯菜放到雪櫃之中，因為雪
櫃裏面的溫度很低，使細菌的繁殖速度
大大減慢了，飯菜就不會很快變質。有
時候，我們還會把食物放到會結冰的冷
凍室裏，細菌在這樣的環境中完全停止
了繁殖，食物便能較長時間保持新鮮。

圓筒形的好處

你們有沒有注意到這樣一種現象,就是平時常常使用的生活用具,如杯子、瓶子等容器,幾乎都是圓筒形的。做成這樣的形狀,究竟有什麼好處呢?

用同樣大小的一塊材料,做成圓筒形容器,要比做成其他形狀的容器能裝更多的東西,也就是說,製作圓筒形更節省材料。

常識小百科
牛頓**吹泡泡**

　　圓筒形的容器，還有另一個好處，
就是它受力很均勻，不容易損壞。如果
把容器做成方形或其他有棱角的形狀，
在凸出的棱角處，由於受到的力特別集
中，當然也就容易損壞了。

　　總而言之，容器做成圓筒形有兩大
好處：一是節省材料，二是堅固耐用。

腳踏車輪和陀螺

會騎腳踏車的人都知道，在車輪飛快轉動時，它能平穩地向前行駛，不會倒下。但是，當車輪轉得很慢，或者停止轉動時，腳踏車就很容易倒下，這是什麼原因呢？

原來，腳踏車只有兩個車輪，也就是只有兩個點與地面接觸，在靜止狀態下，如果沒有第三個支撐點幫助，它是

站不住的，所以，在停放腳踏車時，都要放下後輪邊上的支架，作為第三個支撐點。

我們都玩過陀螺，陀螺飛轉時，它能穩穩地站立着，一旦停止轉動就會倒下。所以，有人就把腳踏車的兩個輪子比喻為兩只陀螺，車軸就是陀螺的轉軸。當車輪轉動時，能使車軸保持原來的方向，也保持了腳踏車的穩定性。

冷了反而膨脹

水是最常見、最普通的東西，也是很特別、很有趣的東西。

我們知道，地球上的物質都有熱脹冷縮的特點，但是水卻例外，它在很冷的時候結成冰，體積不但不縮小，反而會膨脹。為了證實這種說法，我們可以做一個簡單的實驗。在杯子中倒入滿滿的一杯水，很小心地放入冰箱的冷凍室

中，別讓水灑出，等杯子中的水完全結成冰後，就會發現，冰塊滿出杯口一截。

水在結冰時膨脹的力量很大。當岩石的縫隙中充滿水時，由於氣溫下降而很快地結成冰，便會馬上產生巨大的膨脹力，使堅硬的岩石崩裂。通過這種方法，大塊岩石會裂變成許多小塊岩石，有時甚至會變成沙子或土壤呢。

往上爬的水

如果你注滿一臉盆水，再把幾根粗細不同的玻璃管插入到臉盆中，會看見一個很奇怪的現象，就是玻璃管內的水面，要比臉盆中的水面升高一點。而且，玻璃管越細，水面升高得越多。

不僅是水，幾乎所有的液體都會在細管子中，或者沿細小的纖維向上爬升，這種現象叫毛細管現象。

在我們平時的生活中，經常能見到
這種毛細管現象。例如一塊掛着的乾毛
巾，只要下面有一小部分浸在水中，用
不了多久，沿着毛巾纖維向上爬的水
分，就會使整塊毛巾變濕。

還有，自然界中的大樹，依靠地下
的根吸收水分。它也是利用這種毛細管
現象，將根部吸來的水分，慢慢輸送到
離地面幾十米高的樹梢上。

紙的來歷

我們讀書用的課本，做作業用的本子，都是用紙做成的，那麼，紙又是怎樣來的呢？

紙的主要原料是植物。造紙的第一步是把砍下的樹木運到造紙廠，先去掉樹皮，再把木材打碎成木屑，然後再加入水和特別的化學物質，把它們攪拌成軟乎乎的紙漿。接着，把紙漿中的水過

濾掉，再用滾壓機軋成薄片，最後用熱
烘烘的滾輪把它烘乾，紙張就這樣造出
來了。

我們的生活離不開紙，每年要用掉
大量的紙，那麼，用過的紙就成為廢物
了嗎？不是的，因為廢紙還可以用來製
成再造紙。把大量的廢紙重新變為新
紙，可以少砍很多樹木，既減少了能源
的消耗，又可以使環境少受污染。

常識小百科

牛頓吹泡泡

編　　寫：成　谷
責任編輯：馬翠蘿
封面設計：袁碧芬
出　　版：新雅文化事業有限公司
　　　　　香港英皇道 1065 號東達中心 1306 室
　　　　　電話：2562 0161　傳真：2565 9951
　　　　　網址：http://www.sunya.com.hk
　　　　　電郵：info@sunya.com.hk
印　　刷：中華商務彩色印刷有限公司
　　　　　香港新界大埔汀麗路 36 號
版　　次：一九九九年七月初版
版權所有 • 不准翻印
原出版者：少年兒童出版社（上海）

ISBN 962-08-2956-5
© 1999 Sun Ya Publications (HK) Ltd.
Rm. 1306, Eastern Centre, 1065 King's Rd., H.K.
Published and printed in Hong Kong

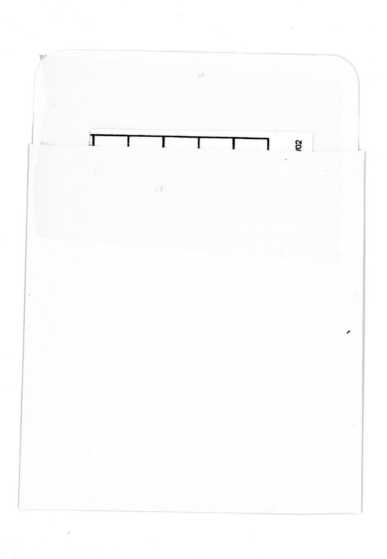